L'**H**ISTOIRE A LA TRACE

LE LOUVRE
HUIT SIÈCLES D'HISTOIRE

Texte de
DANIEL SOULIÉ
Service culturel du musée du Louvre

Illustrations de
NICOLAS WINTZ

casterm
REUNION DES MUSE

D1445484

PRISONNIER DU DONJON

**Aujourd'hui, 27 août 1214, Paris est en liesse.
Philippe Auguste, roi de France, rentre victorieux
des campagnes qui l'ont opposé à l'empereur
germanique et à ses alliés. A Bouvines, Philippe et ses
chevaliers ont écrasé les armées impériales et fait
prisonnier le traître Ferrand, comte de Flandre,
qui s'était dressé contre son souverain.**

C'est un cortège triomphal et très animé qui traverse la ville avec, en son milieu, le comte Ferrand. Il est enchaîné sur un chariot traîné par des chevaux... et prend le chemin du cachot du Louvre. Car comme l'a prévu cet orgueilleux, c'est au château qu'il va coucher, mais sûrement pas dans la chambre royale comme il s'en était vanté. Vêtu aux armes de France et entouré des meilleurs chevaliers, le roi le suit. La foule se moque du prisonnier, on le raille, on rit beaucoup, on chante. Un refrain vient même

d'être composé par les Parisiens : «où l'on vit Ferrand bien enferré dans la tour du Louvre enserré...»
Terminé depuis quelques années seulement, le Louvre surplombe de sa masse sombre les berges de la Seine. Le roi Philippe en a commencé la construction en 1190, au moment de sa croisade en Palestine. Après avoir ordonné de fortifier sa capitale en l'entourant d'une nouvelle et solide enceinte, le souverain a décidé de renforcer l'accès de la ville par l'ouest. L'ouest : c'est de là que vient le danger avec, à quelques dizaines

Il y a quelques années encore, le palais médiéval n'était connu que par de rares descriptions écrites et quelques représentations peintes. *La Pietà de Saint-Germain-des-Prés*, œuvre d'une école allemande active à Paris vers 1500, montre le Louvre de Charles V, aux dix tours rondes qui percent vers le ciel (Musée du Louvre).

de kilomètres de Paris, le duché de Normandie, l'un des nombreux fiefs que possède, jusqu'en Gascogne, la couronne d'Angleterre.

Le Louvre est avant tout une forteresse, chef-d'œuvre de l'art militaire. Ce n'est pas la résidence du souverain, qui possède sur l'île de la Cité un magnifique palais et, autour de Paris, moult logis plus confortables. Non, ce qui caractérise le nouveau château fort, ce sont plus les tours que les jardins, les fossés et les salles d'armes que de somptueux appartements princiers.

Le comte de Flandre pénètre dans sa future prison par l'une des deux portes principales, celle qui donne vers l'est, donc vers la ville, et non celle tournée vers le fleuve. Deux puissantes tours en défendent l'accès. Leurs bases baignent dans les eaux du fossé qui entourent le bâtiment et forment une protection supplémentaire. Comme le fossé est situé plus haut que la Seine, le roi a fait édifier au sud une machine destinée à faire

8

monter les eaux du fleuve. L'ensemble est dominé par un donjon volumineux. Celui-ci est placé au centre d'une cour entourée sur deux côtés par des bâtiments qui abritent un logis, des salles pour les hommes d'armes, des salles communes et quelques grandes pièces d'apparat à l'ouest. Les deux autres côtés sont formés par les courtines cantonnées

de tours. La Grosse Tour, elle-même, est isolée par un fossé sec. Un pont de bois permet d'accéder à cette tour austère dont plusieurs étages abritent un arsenal, des salles d'armes et, bien sûr, un cachot, réservé aux prisonniers prestigieux. Le menu fretin se retrouve, lui, prisonnier au Châtelet.

Le donjon est l'endroit le plus sûr de Paris et une garnison peu importante suffit à le défendre. Ferrand n'en sortira que dans douze ans, libéré sur ordre de la reine Blanche de Castille. D'autres prisonniers lui succéderont : le sire Enguerrand de Coucy, l'un des plus puissants du

Dans la crypte aménagée sous la cour Carrée, l'un des soubassements de la forteresse médiévale : un quadrilatère de près de 70 mètres sur 77, entouré de fossés profonds de 7 mètres et larges de 12 mètres 50.

Les blasons français, germanique et anglais : symboles d'un affrontement de plusieurs siècles entre les couronnes de France et d'Angleterre.

royaume, condamné par Saint Louis pour avoir fait pendre trois gentilshommes qui avaient tué des lapins sur ses terres, Charles le Mauvais, roi de Navarre et prétendant malheureux au trône de France durant la guerre de Cent Ans ou encore Jean II, duc d'Alençon, lui aussi convaincu de trahison en 1474.

Le château est un monde à part. Assiégé, il pourrait tenir des mois tant ses réserves de nourriture et d'armes sont grandes. De même, son approvisionnement en eau se fait par des puits directement creusés dans la cour et les bâtiments. La construction,

Pour construire sa forteresse de pierre, Philippe Auguste lança des travaux longs et coûteux tant en argent qu'en main-d'œuvre.

tout d'abord isolée aux limites de la ville, commence à s'entourer de maisons et d'édifices. Au nord, Philippe a fait agencer une ménagerie où l'on garde, entre autres animaux, les faucons qu'il utilise pour la chasse. Une tour domine cette partie, que l'on appelle tour de la Fauconnerie. Toutes les tours du château ont d'ailleurs un nom : tour du Milieu, tour en Fer à Cheval, tour de la Grande Chapelle, tour de la Taillerie, selon leur fonction, leur forme ou leur position. Le tout est impressionnant de solidité et d'autorité.

C'est sous le règne de Charles V (1364-1380) que la robuste forteresse, après avoir abrité le Trésor royal, se transforme peu à peu en un «château-palais» spacieux : agrandissements, percements de fenêtres, gargouilles de pierre, statues ornementales, boiseries, cuirs et autres vitraux... tandis qu'une nouvelle enceinte est chargée de défendre le nord de la capitale. Charles V installe dans la tour de la Fauconnerie sa propre Librairie, dans laquelle il conserve livres et manuscrits précieux. Malgré la dispersion de ces collections, notamment durant la guerre de Cent Ans, on considère que la tour de la Librairie est à l'origine de la Bibliothèque nationale.

Les fouilles

de la cour

Carrée

Le chapel de Charles VI (1368-1422) a été découvert dans le puits de la Grosse Tour, brisé en 155 fragments dorés. Une réplique en a été exécutée au laboratoire d'archéologie des métaux de Nancy.

Des fouilles superficielles ont eu lieu en 1866 au Louvre, où l'on dégagea le sommet des murs de la Grosse Tour et de l'enceinte extérieure. Les travaux n'allèrent pas au-delà. Adopté en septembre 1981, le projet du Grand Louvre a offert la possibilité de reprendre ces fouilles, de les étendre et d'intégrer les nouvelles découvertes dans le circuit de visite du musée.
Deux chantiers ont été ouverts en 1984. Le premier, sous la cour Carrée, a mis au jour les splendides vestiges du château médiéval. Donjons, tours, courtines, fossés, piles de ponts sont conservés sur plusieurs mètres de hauteur et donnent une idée de ce qu'il était au XIIe siècle. Le second chantier, sous la cour

Napoléon, a permis d'étudier le quartier qui, du Moyen Age jusqu'en 1852, exista entre le Louvre et les Tuileries.
Des milliers de débris ont été retrouvés dans le puits du Louvre. Si la plupart sont de céramique et de verre, objets jetés dans les fossés lorsqu'ils étaient hors d'usage, d'autres sont remarquables. Le casque de parade doré de Charles VI et

d'autres objets royaux sont exposés dans l'ancienne Salle basse, aménagée vers 1230-1240 et devenue salle Saint Louis, seule trace subsistant des logis médiévaux.
L'identification de certains de ces objets a été rendue possible grâce à l'existence d'un *Inventaire de l'Ecurie du roi*, dressé en 1411.

Vue aérienne des fouilles de la cour Carrée.

LE CARILLON DE LA MORT

De 1562 à 1570, huit années de guerres de Religion ont marqué l'histoire de la France, jusqu'à ce que la paix de Saint-Germain scelle la réconciliation entre catholiques et protestants. Mais en ce 24 août 1572, jour de la Saint-Barthélemy, le jeune roi Charles IX vient de commettre l'irréparable en ordonnant le début d'un massacre.

Depuis plusieurs jours pourtant, la cour est à la fête. On vient de célébrer en grande pompe le mariage de la catholique Marguerite de Valois, sœur du roi, avec le protestant Henri de Navarre. La cérémonie s'est déroulée sans encombre. Un seul incident est venu troubler les festivités. En quittant le Louvre, le soir même, l'amiral de Coligny, chef des protestants, a été victime d'un attentat fomenté par Catherine de Médicis, mère du roi, et la puissante famille des Guise. L'amiral n'est que blessé mais Catherine en a profité pour convaincre son fils que les protestants cherchaient à le renverser. Se laissant influencer, Charles IX ordonne la tuerie depuis le Louvre.

Le moment semble propice : le mariage de Henri de Navarre a attiré dans la capitale un grand nombre de gentilshommes protestants. Le piège va se refermer sur eux. La cloche de l'église de Saint-Germain-l'Auxerrois, en sonnant les matines, donne involontairement le signal du massacre. Sur ordre du roi, la tour de l'Horloge, au Palais de la Cité, l'imite bientôt

Epouse du roi Henri II, Catherine de Médicis (1519-1589) assura la régence du royaume de 1559 à 1574.

au son du tocsin, suivie par plusieurs églises parisiennes.

Partout dans la ville, des scènes effroyables se déroulent, des familles protestantes entières sont exterminées, hommes et femmes, vieillards et enfants. Soldats et agents des Guise sont sans pitié, et habiles à exciter la fureur de la foule parisienne contre les «huguenots».

Au Louvre même, dans les cours, les couloirs et jusque dans les appartements royaux, les proches du roi de Navarre sont passés au fil de l'épée. La tuerie est telle que les murs en sont éclaboussés de sang. Jamais le vieux château n'a connu une telle horreur. Henri de Navarre, arrêté, demeure sous bonne protection dans la chambre du roi, aménagée dans un vaste pavillon terminé quelques années plus tôt. Mais il ne doit son

Un artiste du XVIᵉ siècle a illustré le massacre de la Saint-Barthélemy, où «le sang et la mort couraient les rues» (Bibliothèque protestantine, Paris).

L'escalier d'honneur, œuvre de Jean Goujon, était le seul accès aux appartements du roi pour les courtisans et le public. Aux heures des repas, on assistait à une véritable procession de la «viande du roi», selon une stricte étiquette. Avant d'être présentés au souverain, tous les mets étaient goûtés ; un coffret d'argent, à l'abri du poison, contenait le couvert royal.

salut qu'à une rapide abjuration de sa religion... Sa jeune épouse, restée dans ses appartements, est quant à elle aux prises avec les gardes du roi qui poursuivent jusque dans sa chambre les protestants qui y cherchent refuge. Elle en sauvera un, caché sous son lit et que les gardes, amusés, épargneront.

Charles IX ne reste pas inactif. Certains affirmeront même l'avoir vu à l'une des fenêtres de ses appartements, tirant à l'arquebuse sur des protestants qui tentaient de s'enfuir le long des berges de la Seine. «Le Roy, non juste Roy, mais juste arquebusier, giboyait aux passants trop tardifs à noyer», écrivit Agrippa d'Aubigné. Bien plus tard, sous la Révolution, une plaque, posée par erreur à l'extrémité de la Petite Galerie, devait rappeler que de cet endroit «l'ignoble Charles IX» tira sur la foule.

Le massacre dura encore une journée entière, ensanglantant la ville, n'épargnant personne. On parla de quatre mille victimes. La Saint-Barthélemy replongeait la France pour vingt ans dans des guerres religieuses, particulièrement atroces... Toutes les nations européennes furent choquées par de telles violences.

Henri de Navarre n'oublia pas non

Le décor sculpté de l'aile sud de la cour Carrée, exécuté sous Charles IX, est particulièrement riche : nombreuses allégories ciselées de la Paix, de la Justice..., ornements des chapiteaux et frises. Tout est œuvre du sculpteur Jean Goujon et de son atelier.

plus ces heures terribles mais, entrant triomphalement à Paris quelques années plus tard sous le nom de Henri IV, il se réinstalla pourtant dans le palais témoin de la mort d'un si grand nombre de ses compagnons. Il se convertit définitivement à la religion catholique : «Paris vaut bien une messe», aurait-il affirmé. Quant à Charles IX, il fut, racontent les chroniqueurs, hanté toutes les nuits par d'horribles cauchemars jusqu'à sa mort, deux ans plus tard. Seule la reine mère resta impassible, attachée au seul maintien de son fils sur le trône de France.

Au rez-de-chaussée de l'aile nouvelle se trouve une grande salle d'apparat. Utilisée pour de somptueux bals, elle est ornée d'une tribune soutenue par quatre Cariatides, où s'installaient les musiciens.

Le Louvre renaissant

L'un des trophées d'arme de l'aile Lescot.

L'apport principal du XVIe siècle au Louvre est la construction de l'aile Lescot, œuvre de longue haleine. Car si la Grosse Tour a été démolie en 1528 et remplacée par une cour pavée, il faut attendre que le roi François Ier choisisse Pierre Lescot comme architecte «d'un grand corps d'hostel au lieu où est de présent la grande salle».

Sur les fondations de l'aile occidentale, Lescot bâtit entre 1546 et 1555 un édifice à trois niveaux qui compte parmi les plus prestigieux de son temps. Henri II, fils et successeur de François Ier, fera achever les travaux. Dès la Renaissance, on a admiré l'équilibre de la façade, rythmée par trois avant-corps à colonnes, l'un placé au centre, les autres à chaque extrémité. Pourvus de larges baies, les murs sont richement décorés. Au rez-de-chaussée, un portique est plaqué contre le mur, les fenêtres ouvrant dans les arcades.

LE RENARD ET LE DAUPHIN

En ce jour de 1606, une scène étrange se déroule au château du Louvre, dans une nouvelle galerie que le roi Henri IV fait achever. Son fils, le jeune dauphin, s'y amuse, et de manière tout à fait particulière...

Aux premières heures du matin, seul le va-et-vient des ouvriers qui travaillent sans répit à l'achèvement de la galerie du Bord de l'Eau trouble le silence du palais. Soudain, le bruit sourd des coups de maillet est couvert par un tumulte sans mesure. Une foule paraît, qui s'agite et semble courir après quelque chose. Henri IV est présent, ainsi que le jeune dauphin Louis. Ils participent à une activité commune à la cour de France mais certes pas en ces lieux : ce matin, on chasse au Louvre !

Le roi a fait lâcher dans la galerie un renard, capturé depuis peu. L'animal effrayé court en tous sens, poursuivi par une meute de chiens et plusieurs chasseurs. Une partie bien inégale, vite conclue, qui a toutefois atteint son but : le jeune dauphin s'amuse, s'étonne, rit, regarde le renard tenter en vain de déjouer ses poursuivants. C'est parce qu'elle est encore en travaux que l'on a pu organiser cette partie de chasse dans la galerie, gigantesque espace long de plus de quatre cent cinquante mètres et large de près de dix. Henri IV en a ordonné

«La Grande Galerie avance fort (...). Je me suis occupé sans cesse à l'entour des cartons, lesquels je suis obligé de varier sur chasque fenestre et sur chasque trumeau, m'estans résolu d'i représenter une suite de la vie d'Hercule, matière certe capable d'occuper un bon dessinateur».
Tels sont les mots de Nicolas Poussin, le 3 août 1641. Appelé à concevoir le somptueux décor d'une galerie de parade par Louis XIII, il laissa ces projets inachevés un an plus tard.

la construction pour réaliser son «grand dessein», d'après un projet ancien lancé par Charles IX qui souhaitait réunir le Louvre proprement dit aux Tuileries.

Sous le passage ont été aménagés plus de trente logements que le roi souhaite proposer aux meilleurs artistes du royaume, ainsi réunis pour travailler en un seul lieu. Le Louvre devient une véritable ruche. S'y établissent peintres, sculpteurs, architectes, orfèvres mais aussi des

ateliers de tapisserie qui réalisent de très belles pièces et qui, sous le règne de Louis XIV, seront transférés par Colbert aux Gobelins.

Pour l'heure, les murs de la galerie sont construits, les toits sont posés mais sa décoration n'a pas encore commencé. De ce fait, on y organise de fréquentes distractions. Il y a peu de temps, le dauphin s'y promenait dans un petit carrosse tiré par des chiens. Une autre fois, on y a fait courir un chameau, offert au jeune

enfant par un courtisan très influent. Louis est constamment accompagné par Jean Heroard. Ce personnage important, après avoir été le médecin de Charles IX puis d'Henri III, a été chargé du soin et de la garde de la santé de l'héritier royal. Pendant plus de vingt ans et jusqu'à sa propre mort en 1628, il lui portera une attention de tous les instants. Présent à son lever, à ses repas, à ses goûters, il assiste également à toutes ses promenades et consigne dans un journal précieux chaque moment de l'existence de l'enfant.

En 1573, une fête splendide est organisée dans le jardin des Tuileries en l'honneur des ambassadeurs de Pologne venus offrir leur couronne au duc d'Anjou (tapisserie du Musée des Offices, Florence).

capitale d'un royaume enfin pacifié, la couronne multiplie les constructions de prestige.

En témoignent le Louvre, la place Royale, la place Dauphine ou le Pont-Neuf, symboles de l'autorité royale. L'assassinat d'Henri IV, en 1610, marque l'arrêt momentané des travaux dans le palais.

C'est également là que, quatre à cinq fois dans l'année, Henri IV a décidé de perpétuer l'ancienne cérémonie des écrouelles : un millier de malades victimes de cette affection de la peau sont rassemblés dans la galerie. Le souverain les approche tour à tour en disant : «Le roi te touche, Dieu te guérisse», puis leur remet une pièce d'or.

Henri IV réside de façon intermittente au Louvre, avec sa seconde épouse, Marie de Médicis, mère du dauphin. Mais le chiffre du souverain apposé au Louvre est HG, sa propre initiale et celle de Gabrielle d'Estrées, sa favorite. Le roi semble avoir oublié les terribles événements de la Saint-Barthélemy auxquels il avait été personnellement mêlé.

Depuis la signature de l'édit de Nantes en 1598, les luttes religieuses sont terminées. Dans Paris,

Ces pièces émaillées réalisées par Bernard Palissy faisaient probablement partie du décor de la grotte à l'italienne que Catherine de Médicis avait fait construire aux Tuileries entre 1567 et 1570. La grenouille servait de bouche d'eau à une petite fontaine.

La naissance
des
Tuileries

Le palais des Tuileries, aujourd'hui disparu, a été l'un des édifices les plus prestigieux de Paris. François Ier avait fait l'acquisition pour sa mère Louise de Valois, de terrains situés à l'ouest de l'enceinte édifiée sous Charles V.

L'endroit se nommait Tuileries, d'après les fabriques de tuiles anciennement établies en cet emplacement. Le palais fut commencé en 1564.

La régente Catherine de Médicis désirait une résidence proche du Louvre : selon ses propres termes, un «vray paradis des anges».

L'architecte Philibert de l'Orme fut chargé des plans et Jean Bullant continua les travaux jusqu'en 1572. Mais l'immense quadrilatère, composé de petits pavillons et d'ailes encadrant de vastes cours, resta inachevé, à l'exception de jardins situés à l'ouest. Catherine n'y résida d'ailleurs jamais. Quelques décennies plus tard, pour mener à bien la réunion du Louvre aux Tuileries, Henri IV fit prolonger le palais vers la Seine par une aile nouvelle, que terminait le pavillon plus tard appelé de Flore.

Sous Louis XIV, Le Vau réaménagea l'édifice pour y loger provisoirement le roi, avant la fin des travaux de la cour Carrée. Le palais fut la résidence officielle des souverains (rois et empereurs), jusqu'à son incendie sous la Commune en 1871. Une partie du mobilier qui l'ornait est aujourd'hui conservée au département des Objets d'art.

LE CHANTIER DU ROI-SOLEIL

**15 septembre 1674.
La plus vive animation règne sur le chantier
de construction d'une magnifique colonnade au Louvre.
Ce matin, entouré d'une nuée de courtisans,
Sa Majesté Louis XIV vient se rendre compte par
Elle-Même de l'état des travaux.**

La nouvelle façade est tournée vers l'est, vers la ville. Le roi, qui se tient à ses pieds, semble tout à fait rassuré. La partie méridionale est déjà achevée. Les deux énormes monolithes qui coiffent le fronton central ont été posés il y a quelques mois.

Ce fut une étape particulièrement difficile, les blocs pesant des dizaines de tonnes. A présent, maçons, ouvriers et commis s'activent dans la partie nord de la façade. De gigantesques échafaudages masquent encore totalement cette moitié de l'édifice. Les grues posées au sommet soulèvent de gros blocs destinés à compléter les colonnes et les murs. Louis XIV et sa suite cheminent au milieu de plusieurs sculpteurs chargés de travailler les chapiteaux et d'achever les décorations des fenêtres et des balustrades.

Au rythme auquel avancent les travaux, tout devrait être prêt... dans quelques années à peine.

Durant trois ans, entre 1664 et 1667, le Louvre a été le point central de discussions opposant les plus grands architectes du royaume, entre

eux ou avec d'autres célébrités européennes, comme Pierre de Cortone ou le Bernin. Le projet d'un monumental frontispice n'a été adopté qu'en avril 1667. Deux de ses auteurs entourent aujourd'hui le roi.

Le jeune roi Louis XIV aime la fête et offre des spectacles pour ses favorites, chante, danse, se déguise... Pour lui plaire, les courtisans rivalisent dans la richesse et l'originalité des costumes.

Louis Le Vau, qui a édifié la façade du Louvre côté Seine, est mort en 1670. Restent son gendre François d'Orbay, architecte, et Charles Le Brun, Premier peintre du roi.

Celui auquel revient la paternité du projet est ailleurs : Claude Perrault, frère du célèbre conteur Charles Perrault, est monté sur les échafaudages pour y surveiller le fonctionnement de l'une des machines qu'il a mises au point pour le chantier.

Anatomiste de formation, rien ne semblait le destiner à l'architecture ; il est pourtant bien le maître d'œuvre des travaux et dispose de toute la confiance du roi.

La façade conçue par ces quatre personnages a étonné et séduit tant Louis XIV que son ministre Colbert, devenu surintendant des Bâtiments en 1664. Pour marquer l'accès de la résidence royale, l'érection d'une majestueuse colonnade a été décidée. Courant sur toute la longueur de l'édifice, elle est cantonnée par deux avant-corps latéraux et en possède un troisième en son centre. Il abrite l'entrée principale, coiffée d'un fronton imposant. Le chiffre du roi, deux «L» accolés, est présent partout.

Dans cette aile du nouveau bâtiment, Colbert a prévu pour Louis XIV l'ins-

En 1662, le roi organise un Carrousel au Louvre, réunissant mille trois cents courtisans en ballets somptueux, quadrilles équestres et jeux d'adresse. Ici la cour du Louvre représentée sur une sanguine d'Israël Silvestre (Objets d'art, Musée du Louvre).

tallation d'un grand appartement à la hauteur des ambitions royales. Il remplacera les pièces petites et incommodes du pavillon du Roi, situé le long de la Seine, et permettra au souverain de disposer de somptueux aménagements. Devant les fenêtres, le ministre envisage une vaste esplanade et souhaite remodeler le quartier alentour. On prévoit le percement de nouvelles rues, la création de nouvelles places. Le Louvre doit devenir le centre monumental de la capitale.

Pour le moment, de sombres masures se dressent encore à quelques mètres en avant des nouvelles façades. S'il les fait disparaître, Colbert espère diminuer la méfiance que le roi éprouve envers Paris.

Car depuis les graves événements de la Fronde (1648-1653), Louis XIV se sent, dit-on, prisonnier en sa capitale, entouré de tous côtés par les rues, les maisons, les menaces... Il déménage sans cesse : selon son humeur du moment, Sa Majesté réside aux

Tuileries, à Vincennes, à Fontaine-
bleau, à Saint-Germain où Elle est
née, à Saint-Cloud où Monsieur, son
frère cadet, se fait construire une
magnifique demeure.
Le roi part souvent pour Versailles, ce
petit château de chasse que son père
Louis XIII a fait bâtir, qu'il souhaite
lui-même embellir à son idée… et
pour lequel il abandonnera définitivement le Louvre et les Tuileries en
1678.

**En 1645-1655, les appartements de
Louis XIV sont entièrement remodelés.
La chambre à coucher s'orne d'un pla-
fond de bois royalement sculpté : fleurs
de lys, couronne, esclaves, trophées...**

**La Galerie d'Apollon, aménagée en
1661, occupe le premier étage de la
Petite Galerie. Construite par Le Vau,
décorée par Le Brun, elle resta inache-
vée. En 1849, Delacroix peignit au centre
de sa voûte Le Triomphe d'Apollon.**

Trois projets

pour

une façade

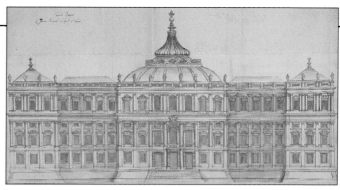

De haut en bas, les propositions de trois architectes peintres : Pierre de Cortone, Le Brun et Bernin, et dont aucune ne fut retenue.

La plus longue et la plus fertile en rebondissements des controverses liées à la construction du Louvre concerne la façade orientale de la cour Carrée.

Le Vau, architecte du roi, achevait les travaux du grand quadrilatère lorsqu'en 1664, sur ordre de Colbert, le chantier fut arrêté : on trouvait l'ensemble peu conforme à l'idéal de grandeur habituellement associé à une résidence royale.

Après une longue hésitation, un concours fut organisé, auquel participa l'un des plus grands génies européens de l'époque. Le Bernin, architecte et sculpteur romain, fut invité à Paris par Louis XIV en 1665 et reçut tous les honneurs dus à sa célébrité. Son premier projet fut refusé, une façade compliquée ayant été jugée inadaptée aux traditions françaises.

Sur proposition d'un second projet, les travaux commencèrent rapidement. Mais la nouvelle façade monumentale, scandée par un ordre colossal et reposant sur un puissant soubassement, fut à son tour estimée trop «romaine» par un groupe d'architectes français.

Alors que la première pierre était posée par le roi, ces architectes profitèrent d'un retour du Bernin à Rome pour suspendre les travaux en 1667.

Le Vau, d'Orbay, Le Brun et Claude Perrault imaginèrent une nouvelle façade dont l'ornement principal était une majestueuse colonnade.

Après bien des tâtonnements, le projet fut réalisé... et achevé au milieu du XVIIIe siècle seulement. Le roi quittant Paris pour Versailles, les travaux avaient été interrompus, laissant le nouveau Louvre sans toiture.

NOCES IMPÉRIALES

Depuis le matin, en ce 2 avril 1810, la foule des courtisans se masse dans la Grande Galerie du Louvre. Napoléon Ier, empereur des Français, y épouse en secondes noces Marie-Louise, archiduchesse d'Autriche qui, peut-être, lui donnera un héritier.

L'impressionnant cortège vient de quitter le palais des Tuileries, résidence officielle du couple impérial à Paris. Après avoir traversé le pavillon de Flore, il s'est engagé dans la Grande Galerie pour se rendre au salon Carré, transformé à cette occasion en chapelle, dans lequel une grandiose cérémonie religieuse se prépare.

Les pages, chambellans et maîtres de cérémonie, tous somptueusement revêtus d'uniformes chamarrés blanc, bleu, rouge, ouvrent le long défilé. Le couple impérial est au centre du cor- tège. Napoléon accompagne Marie-Louise, vêtue d'une robe brodée d'or et d'un très long manteau que soutiennent les reines et princesses de la famille impériale.

Le premier mariage de l'empereur avec Joséphine de Beauharnais a été rompu il y a peu. L'impératrice ne pouvait mettre au monde l'héritier qu'il souhaitait pour perpétuer sa dynastie. Désormais, tous les espoirs sont possibles. La blonde épouse est jeune et jolie ; elle est aussi autrichienne… ce qui permet de sceller une alliance importante entre Vienne

rutilants de l'assemblée aujourd'hui réunie ne peuvent porter ombrage aux tableaux. Dans un cadre remodelé à la gloire de l'empereur par les architectes Percier et Fontaine, sont accrochées les merveilles saisies par Bonaparte en Italie, celles rapportées des Pays-Bas et d'Allemagne par les armées impériales.

Les Raphaël du Vatican côtoient les Rubens de Munich ou encore les Rembrandt de Cassel, pour former un musée qui n'a aucun équivalent, où que ce soit en Europe. S'y déroule le plus bel inventaire de la peinture européenne que l'on puisse imaginer. Et pendant quelques années, il s'appellera Musée Napoléon.

Le Louvre est alors au centre d'un vaste projet d'urbanisme, qui prévoit

et Paris, ennemies depuis plus de vingt ans. A son arrivée dans la capitale, Marie-Louise a repris le chemin emprunté en 1770 par sa tante Marie-Antoinette. Mais nul souvenir tragique ne doit venir troubler la célébration, qui marque l'apogée de l'Empire.

Derrière le couple impérial s'avancent les autres princes de sang et, fermant la marche, officiers et dames de la cour. De part et d'autre, pressés contre les murs, les courtisans et la foule acclament les époux au son des fanfares.

La Grande Galerie, cadre de cette fête superbe, a bien changé depuis l'époque où le dauphin Louis y courait le renard... Le long corridor s'est transformé en une véritable exposition de chefs-d'œuvre. Même les vêtements

un remodelage complet de cette partie de la capitale. Le percement de la rue de Rivoli a commencé. On envisage la démolition complète des quartiers situés entre le Louvre et les Tuileries pour aménager une succession de places et de cours à l'aspect monumental. On a déjà rasé, il y a quelques années, les maisons situées entre la rue Saint-Nicaise et les Tuileries, endroit précis où Bonaparte avait été victime d'un attentat le 24 décembre 1800, pour aménager une esplanade devant le palais ; cela permettrait d'accéder à la résidence impériale en toute sécurité. Pour en marquer l'entrée principale, Napoléon a fait construire en 1806 un arc de triomphe à la romaine,

Logé au Louvre de 1779 à 1806, le peintre Hubert Robert réalisa de multiples projets pour l'aménagement de la Grande Galerie (Musée du Louvre).

Epée du sacre de Napoléon. L'empereur choisit pour emblème l'aigle éployé rappelant les armes de Charlemagne et l'ancien empire romain d'Occident qu'il rêve de reconstituer.

couronné d'un quadrige dont les chevaux proviennent de la basilique Saint-Marc à Venise : c'est l'arc du Carrousel. L'empereur veut faire de Paris un exemple pour le monde entier mais ses projets n'aboutiront pas, faute de temps...

Il faudra attendre Haussmann, préfet de la Seine, pour voir les plans de l'empereur amplifiés, transformés et réalisés. A partir de 1853, ce qui restait des constructions encombrant la cour Napoléon fut impitoyablement rasé. Le baron Haussmann déclara «s'être fait la main sur ces démolitions» avant de donner un nouveau visage à la capitale.

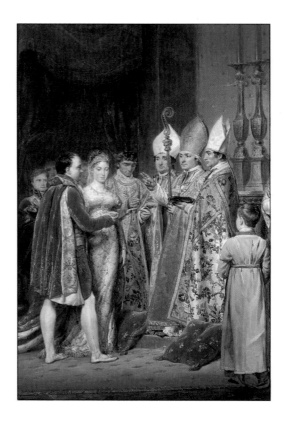

Détail d'un tableau de Georges Rouget représentant le mariage religieux de l'empereur (Versailles).

Sous l'emblème de l'Empire, les frontons du Louvre s'ornent d'un Napoléon législateur (haut) et génie des arts (bas).

A la gloire des arts

Napoléon visitant de nuit la salle du Laocoon : ce gigantesque groupe sculpté découvert à Rome au début du XVIe siècle, est l'une des œuvres antiques les plus célèbres. Exposé à Paris jusqu'en 1815 après avoir été saisi au Vatican, il fut ensuite restitué au pape (Benjamin Zix, Musée du Louvre).

Lorsqu'en 1793 les autorités révolutionnaires décident l'ouverture d'un «Museum central des arts» au Louvre, elles reprennent un projet vieux de quelques décennies. Plusieurs rois de France tel François Ier achetant *La Joconde* de Léonard de Vinci, avaient rassemblé avec passion les peintures des grands maîtres européens, tant des œuvres isolées que des collections complètes. Exposés sous Louis XV dans les salles du palais du Luxembourg, les tableaux avaient regagné les réserves quand le palais était devenu résidence du comte de Provence. Angiviller, directeur général des Bâtiments du roi, avait envisagé dès les années 1770 la création d'un musée public au Louvre. Les collections de la

couronne furent transférées sous la Révolution depuis Versailles et diverses résidences royales jusqu'au Louvre. D'autres objets résultent de saisies effectuées chez les émigrés, les familles nobles ayant fui à l'étranger, mais aussi dans les églises parisiennes riches en œuvres d'art, tableaux ou sculptures ornant les autels et les chapelles, dans les

abbayes... A ces trois sources s'ajouteront, à partir des campagnes d'Italie et durant toutes les conquêtes de l'Empire (1796-1815), des pièces confisquées à l'étranger, exposées dans le Musée Napoléon, et dont une grande partie sera restituée après le congrès de Vienne en 1815.

LES FEUX DU DÉSESPOIR

Paris, 24 mai 1871. Depuis plusieurs jours, le bruit du canon et des fusillades résonne dans la capitale. Les Tuileries sont en feu. La Commune de Paris, qui s'est dressée contre le gouvernement provisoirement installé à Versailles, connaît ses dernières heures.

Lorsque la nouvelle s'est répandue dans la ville, elle n'a, semble-t-il, surpris personne. Il est vrai que depuis plusieurs mois, les événements se succèdent à une allure telle que plus un Parisien ne semble intéressé par le sort de ses propres monuments.

Le 2 septembre 1870, Napoléon III, vaincu à Sedan, est fait prisonnier par les Prussiens : le Second Empire s'écroule. Paris a ensuite été assiégé de longues semaines par les armées adverses. Après une courte occupation, la ville s'est insurgée contre l'Assemblée chargée de négocier la paix avec la Prusse.

Un conseil de la Commune a été élu, qui rêve d'une société plus juste et espère le soutien de toute la France. Mais à présent, l'avance des troupes versaillaises sous les ordres de Thiers marque la fin de la Commune et, en cette nuit du 23 au 24 mai 1871, Paris brûle.

Les insurgés incendient les édifices qu'ils abandonnent à l'ennemi pour couvrir leur retraite et au nombre de ces prestigieux monuments figure le palais des Tuileries.

Ce bâtiment dévoré par les flammes a connu durant les deux dernières décennies ses plus belles heures de gloire. Résidence officielle à Paris de l'empereur et de l'impératrice, le palais a vu défiler dans ses murs les plus grands noms de l'aristocratie et de la haute bourgeoisie françaises lors des somptueuses fêtes organisées par le couple impérial, qui multipliait bals et banquets. En 1867, toutes les têtes couronnées d'Europe s'étaient retrouvées dans le jardin ou les salons du palais, attirées à Paris par l'Exposition universelle. Guillaume Ier de Prusse y côtoyait Alexandre II, tsar de toutes les Russies. Les Tuileries rivalisaient, par l'activité qui s'y déployait, avec le palais de Saint-Cloud ou le château de Compiègne, autres résidences impériales très prisées.

Pour donner aux Tuileries la place qui leur convenait, l'empereur n'a pas hésité à modifier de fond en comble le Louvre et les secteurs environnants. En 1852, le quartier qui séparait le vieux château royal de la

Avec *Les Misérables* et le personnage de Gavroche, Victor Hugo avait créé, en 1862, l'immortel symbole du peuple parisien, épris de justice et de liberté.

résidence impériale fut la première victime. Il céda la place aux deux nouvelles ailes abritant une partie du musée pour l'une, le ministère d'Etat et de la Maison de l'empereur pour l'autre. Plus tard, Napoléon III fit démolir et reconstruire une partie de la Grande Galerie puis le pavillon de Flore. On y plaça côté jardin une salle dite «nouvelle salle des Etats» qui avait abrité les réunions des assemblées parlementaires, ainsi que des appartements. Le nouveau Louvre regroupait en un même complexe, inégalé par ses dimensions, la résidence impériale, le siège du Parlement, les principaux ministères, une caserne de la garde et l'un des plus vastes musées du monde.

Mais en ces heures de guerre civile, cet ensemble unique se consume en maints endroits. Utilisant du pétrole et de la poix, les communards ont allumé plusieurs foyers dans différentes salles. Le feu a dévoré le palais sur toute sa longueur, gagné

Les derniers combattants de la Commune sont fusillés en mai 1871 contre un mur du cimetière du Père-Lachaise, appelé depuis le Mur des Fédérés.

l'aile nord du Louvre, le long de la rue de Rivoli et l'aile sud, côté Seine, menaçant le musée même et ses collections. Dans l'aile Richelieu, face au Palais-Royal qui a également brûlé, les flammes ont dévoré les soixante-dix mille livres et manuscrits de la Bibliothèque du Louvre.

Sans l'intervention active de Joseph-Henri Barbet de Jouy, conservateur des Objets d'art, le musée même aurait disparu dans la tourmente. Mais si les façades admirables créées par Philibert de l'Orme, Du Cerceau, Bullant et Le Vau ont en partie résisté, l'intérieur du palais n'est plus que ruine. Détruits l'escalier monumental et le salon des Maréchaux, les appartements qui

avaient abrité Louis XIV, Louis XV, Louis XVI et Marie-Antoinette, Napoléon Ier... Disparu aussi le théâtre, ancienne salle des machines qui accueillit les sessions du Parlement révolutionnaire. Le feu qui couve encore dans les murs noircis achève de consumer les ruines de la splendide résidence. Tandis que l'on dénombre près de trente mille Parisiens tués au combat ou exécutés.

Le sort des Tuileries est scellé onze ans plus tard seulement : en 1882, malgré l'opposition du célèbre architecte Viollet-le-Duc, le Parlement ouvre un crédit pour raser définitivement le palais et transformer cet emplacement en jardin public.

Utilisé pour les expositions de l'Académie des Beaux-Arts dès 1737, le salon Carré est à l'origine des premiers «salons». En 1862, il présente les plus grands chefs-d'œuvre (Giuseppe Castiglione, *Le salon Carré*, Musée du Louvre).

Le plus grand

musée

du monde

En 1871, avec l'incendie des Tuileries, une page est tournée dans l'histoire du Louvre. Lié depuis ses origines au pouvoir politique royal ou impérial qui y résidait, le palais cesse définitivement d'être le siège de la plus haute autorité de l'Etat. Trois institutions se partagent alors les murs chargés d'histoire. Le musée installé depuis 1793, occupe les ailes entourant la cour Carrée et les bâtiments situés le long de la Seine. Le musée des Arts décoratifs, institution privée, ouvre ses collections à l'ouest, le long de la rue de Rivoli. Enfin, le ministère des Finances incendié pendant la Commune, s'octroie l'aile Richelieu, proche du Palais-Royal. Cette situation est restée inchangée jusqu'en juillet 1989. A cette date, et après une lutte de près d'un siècle, les «Finances» ont quitté leurs locaux au profit du musée.

Celui-ci gagnait une dernière bataille, lui permettant d'occuper la plus grande partie du bâtiment et d'augmenter considérablement ses surfaces d'exposition. Un siècle et demi de grignotements successifs ont multiplié par vingt les locaux d'origine.

L'ALPHABET DU LOUVRE

A

comme Acquisitions. Le Louvre s'enrichit tous les ans de nombreuses œuvres d'art, achetées, cédées ou données au musée selon des conditions légales.

B

comme Bicentenaire. Celui du musée sera fêté en 1993.

C

comme Collections. Près de 400 000 objets sont conservés au Louvre.

D

comme Départements. Ils sont au nombre de sept :
Antiquités orientales
Antiquités égyptiennes
Antiquités grecques, étrusques et
    romaines
Peintures
Sculptures
Objets d'art
Arts graphiques (cabinet des Dessins).

E

comme Enfants. Pour eux, l'entrée est gratuite ! jusqu'à 18 ans.

La *Pietà de Villeneuve-les-Avignon* par Enguerrand Quarton (Musée du Louvre).

F

comme Fouilles archéologiques.
Celles menées sous la cour Carrée et
la cour Napoléon, à partir de 1984,
sont les plus importantes réalisées en
France jusqu'à ce jour.

G

comme Gardien(ne). Ils sont plus de
quatre cents agents de surveillance
pour protéger les œuvres et orienter
les visiteurs.

H

comme Hanté. Le Louvre ne l'est
plus, depuis la mort de Belphégor,
à la télévision.

I

comme Information. Le 40 20 50 50
répond à toutes vos questions.

J

comme Japonais. Malgré les appa-
rences, ils sont loin d'être les touristes
les plus nombreux puisqu'ils ne
représentent que 8 % des visiteurs
étrangers du Louvre.

Le sommet de la Pyramide de Pei.

K

comme Kilogrammes. La structure
d'acier de la Pyramide pèse
95 000 kilos, ses vitres 86 000 !

L

comme Librairie. Celle du Louvre,
2 000 m², 15 000 livres et pério-
diques français et étrangers, se veut
la plus grande librairie d'art française.

Hercule et le lion de Némée, détail d'un dessin de Michel Ange (Musée du Louvre).

M

comme Mardi. On ferme pour 24 heures au Louvre et dans de nombreux musées nationaux.

N

comme Nocturne. Le lundi et le mercredi jusqu'à 21 h 45. Les autres jours, le musée est ouvert de 9 h à 18 h. Les expositions temporaires sous la Pyramide : de 12 h à 22 h.

O

comme Orsay. Les collections du musée d'Orsay (l'art après 1848) prolongent celles du Louvre.

P

comme Pyramide. Celle de Pei est désormais l'entrée principale du Louvre et abrite diverses salles d'exposition qui retracent l'histoire du palais et du musée.

Q

comme Quarton. Enguerrand Quarton réalise vers 1460 l'un des sommets de la peinture médiévale française, la *Pietà de Villeneuve-les-Avignon.*

R

comme Richelieu. Une aile en cours d'aménagement qui sera terminée en 1993 et qui abrita le ministère des Finances.

S

comme Souverain. Avant de devenir musée, le Louvre fut la résidence officielle des souverains durant sept siècles.

Le val d'Arco, aquarelle de Dürer (Musée du Louvre).

Divine adoratrice de Karonama, bronze égyptien (Musée du Louvre).

T

comme Tessons. Environ 250 000 tessons de céramique ont été exhumés du fossé du donjon, comblé en 1528.

U

comme Utile. Tous les services utiles au public sont réunis sous la Pyramide : accueil, librairie, caisses... et même un restaurant.

V

comme V.D.I. (Voie de Desserte Intérieure). Une route souterraine fait le tour de la cour Napoléon et permet de déplacer les objets sans les sortir du musée ou de livrer les marchandises.

W

comme Watteau. Son *Embarquement pour Cythère* est l'un des plus célèbres parmi les 7 500 tableaux du Louvre.

X

comme les rayons du même nom. Le laboratoire des Musées de France,

installé dans le palais, en fait grand usage. Il est l'un des plus importants qui existent au monde.

Y

comme les Yeux de la Joconde. L'œuvre de Léonard de Vinci fut acquise par François Ier. Son sourire mystérieux fascine les quatre millions de visiteurs annuels.

Z

comme Zone. Le palais en possède trois : Richelieu, Sully et Denon, qui correspondent aux trois principales ailes du bâtiment et sont fléchées pour des itinéraires précis.

PETITE CHRONOLOGIE

1190-1205
Construction de la forteresse du Louvre par Philippe Auguste.

1365-1380
Charles V la transforme en palais, après avoir édifié une nouvelle enceinte défensive au nord de la capitale.

1528
François Ier décide de s'installer au Louvre et fait démolir la Grosse Tour.

1546-1555
L'aile occidentale est reconstruite par Pierre Lescot.

1555
On entreprend la construction du pavillon du Roi et de l'aile sud.

1564
Catherine de Médicis fait construire une résidence sur le domaine des Tuileries.

1594
Elaboration du «grand dessein» d'Henri IV.

1608
De nombreux artistes du royaume s'installent au Louvre.

1595-1610
Une Grande Galerie relie le Louvre aux Tuileries.

1624
Début de la construction du pavillon de l'Horloge et de l'aile Lemercier.

1662-1664
Suite à un incendie, la Galerie d'Apollon est reconstruite.

1661-1669
Construction des ailes nord et sud de la cour Carrée.

1662
L'Académie française s'installe au Louvre, bientôt suivie par de nombreuses académies.

1664-1667
Le Vau est chargé de réaménager les Tuileries pour Louis XIV.

1665-1667
La façade orientale de la cour Carrée doit être achevée d'après les plans du Bernin.

1668
Le projet de colonnade de Perrault est mis à exécution.

1678
Arrêt des travaux au Louvre, délaissé par le roi pour Versailles. Les ailes de la cour Carrée ne seront couvertes que sous Louis XV.

1793
Inauguration d'un Museum central des arts au Louvre sur décret de la Convention.

1806-1821
Construction de la galerie Napoléon, qui longe la rue de Rivoli, elle-même terminée en 1865.

1848
La République décide l'achèvement du Louvre. Napoléon III reprend les travaux à partir de 1852. La vie mondaine et officielle est intense.

1871
Incendie du palais des Tuileries.

1981
Le projet Grand Louvre est mis en chantier, la Pyramide de Pei est inaugurée en 1989.